國家圖書館藏·蒙學善本

書言故事大全

第三册

鳳凰出版社

國家圖書館藏·蒙學善本

書言故事大全

第一冊

鳳凰出版社

執經坐下

斷虀劃粥

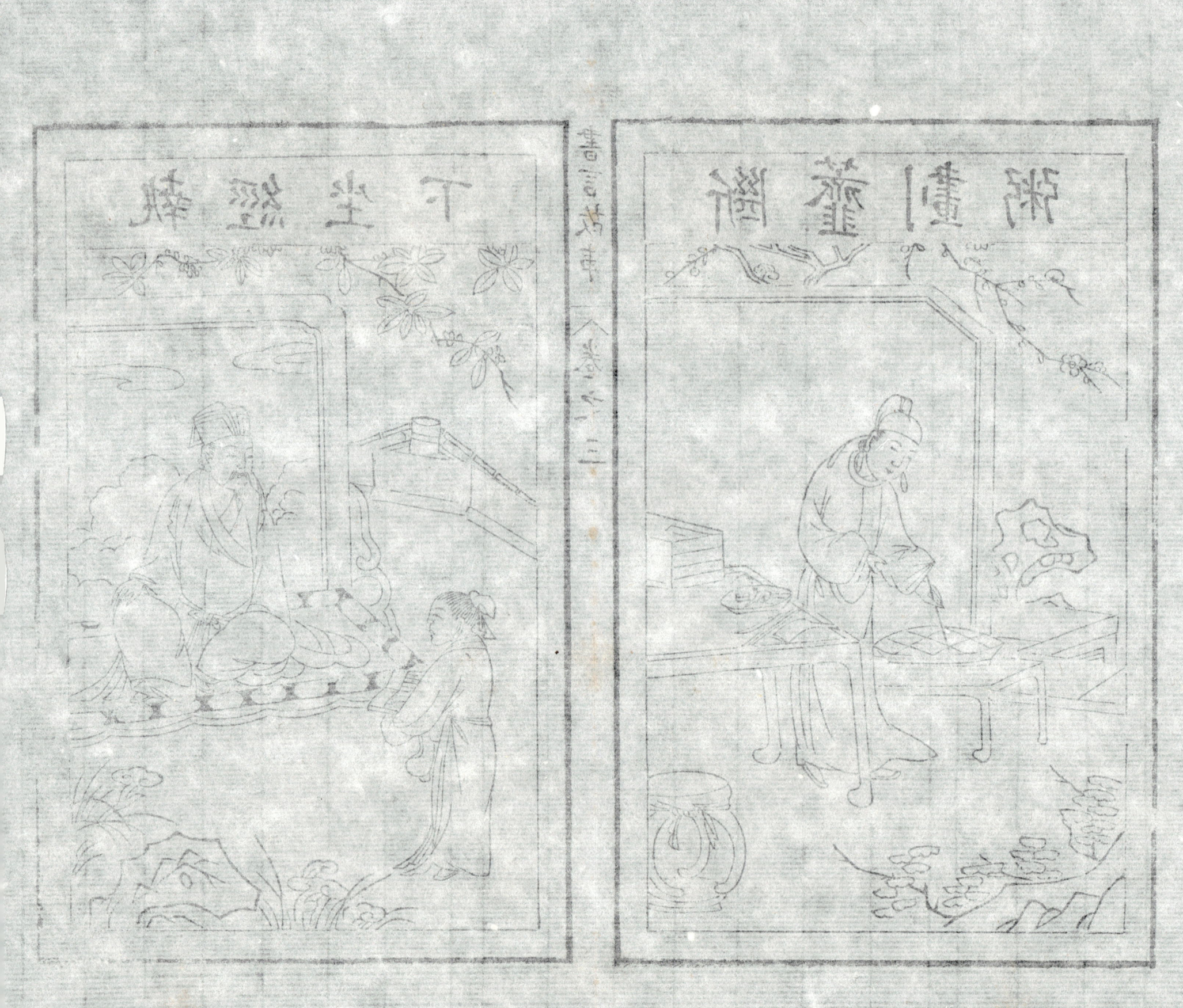

廬陵　胡繼宗　集

安成　陳玩直　解

○師儒類

書言故事〈卷之三〉乙

記問之師（記）學記篇

記問之學不足以為人師

記者得諸言而非得諸心，問者得諸人而非得諸已。記問者必待人師而後傳諸人，然後可也。言非得已，不足以為人師。諸心而傳諸人，師者必得諸已而傳諸人。然後可也。

童子之師　韓愈師說

彼童子之師，授之書

而習其句讀者也。句授以書中點，非吾所謂傳其道解其惑者也。彼童子之師，授之書而習其句讀者也，非吾前所謂傳道解惑者也。

博古知今　家語

觀樹篇　孔子曰：吾聞老聃

博古知今，通俗文，規矩模範皆以法。模範皆法也。範日範，模日模。

此孔子謂南宮敬叔曰：我今好道，則吾師也，之師也今將是。

模範楊子

楊子法言篇　師者人之模範也

模不模，範不範，為不少矣。声

日型以金曰鎔，以木曰模，以竹曰范，以土曰型，皆法也。師（釋註）型音刑，鑄器模也。人事循其規知如模鑄金成器也。

假館（孟子）

告子下章　曹交曰：交得見　現音

模範如此之多少矣。師不少矣。（孟子）生于鄒君　鄒君者尊

書言故事大全卷之三

盧陵 胡繼宗 集

建安 陳玩直 解

○師儒類

請問之師 〔記〕學記 [illegible]

童子之師 韓愈師說 彼童子之師授之書而習其句讀者也非吾所謂傳其道解其惑者也

博古知今 孔子曰吾聞老聃博古知今則吾師也

模範 楊子 師者人之模範也

[illegible]

称孟子之辭也可以假館(假借也借館舍棲息其身)願留而受業於門(願止留從學於孟子之門)

絳帳 問人館曰絳帳何地 **前漢**馬融教授諸生常有千數坐高堂施絳紗帳(施設也絳紅色也設紅紗之帳于坐後)前授生徒(前帳前也生徒受業於其前)後列女樂(後帳後也女子奏樂於其後)

立雪 **侯仲良語録**(仲良字師聖程門弟子)游酢(音昨)字定夫楊時字仲立見伊川先生程頤(音移○二子從其學也)一日先生坐而瞑目(瞑閉也閉目渴睡也)二子立依不敢去(句)久之乃顧曰二子尚在此乎(先生不覺二子尚立於其前)退則門外雪深尺餘矣(二子既退雪深如許矣)

坐春風中 **侯仲良語録**朱公掞(炎上声)名光庭見明道先生程顥(音好)於汝州歸語(音遇)人曰(語告也)光庭在春風中坐了一月(春風能發育萬物光庭言其從斈於明道先生倍有長益如坐春風之中)

立館下 **韓愈進學解**國子先生(時唐元和壬辰春韓退之為國子博士也)晨入大學(早朝晴明始入大學)招諸生(招一作召召諸生徒)立館下(立于館下執弟子禮)而誨之(諸生既集訓誨之云凡事業必欲精于勤)

執經座下 **韓愈答殷侍御書**(侍御今御史是也)蒙示新注公

羊春秋云云倘矜其拘（音居綴也矜矜憫也拘移縈繼言倘能矜憐我之遭事之所拘束而不暇也）不得走請（不得趍走而相請也）務道之傳而賜辱臨（辱臨見訪也言煩務傳道而枉屈以見過也）執經座下獲卒所聞為大幸（獲得也言若能来則執春秋於座下請教得聞其說是為幸也）

東家丘

邴（音丙）原欲遠遊學詣（音義）安丘孫崧（音松○詣進其門以從學也）崧辭曰吾鄉里鄭君（鄭玄字康成）學覽古今博聞强（上声）識（音志○博廣也識記也廣有所聞又兼勉强記識）鉤深致遠（鉤探也致推也鉤探幽深推致玄遠）誠學者之師模也（誠真實無妄也言鄭君學覽古今博聞强識鉤深致遠誠然足以為人之師成其模範者也）君乃捨之躡（音業）屣（音史）

千里（躡行躡也屣復也言其捨鄭君而徒行千里之遠也）所謂以鄭為東家丘（〔家語〕孔子西家有愚夫不能識孔子是聖人乃曰彼東家丘吾知之矣崧言邴原捨鄭君亦如愚夫不知孔子）原曰人各有志所向不同（心之所之所慕謂之志）有登山而採玉者有入海而探（音貪）珠者（探求索也）豈可以登山者不如海之深（海雖深而山又高矣）入海者不如山之高哉（山雖高而海又深矣然則各得其趣焉）君謂僕以鄭為東家丘僕（原自謙也）則君以僕為西家之愚夫耶崧辭謝焉（以言語辭意而謝之也）

白首北面

賈瓊曰夫子十五為人師（夫子文中子也十五歲為人之

師陳留主孝逸先達之傲者矣陳留郡名。孝逸以其為先達而傲慢於文中子然白首北面豈以年乎為師者面南而坐。弟子則北面向師以受業。年少者有才德則為人師年老頭白者無所知則就學不可以論年齒也

不叛 言不背師曰。豈敢叛去。韓愈與孟簡書籍湜音實輩雖屢指教籍張籍湜皇甫湜言雖謙等屢蒙指點数訓不知果能不叛去否此語自謙之辭恐不才而背師未知果能不背師否

○儒學類 書生

白衣卿相去声下同 士子自譽音余。自譽自称自也白衣卿相進士科始於隋大業中大業隋煬帝年號盛於唐貞觀貞觀唐仁宗年號歲貢八九百人謂之白衣公相進士盧肇自號白衣卿相以白衣之常人即為公卿宰相之質

涉獵 博覽曰涉獵漢賈山涉獵書記不能為醇音淳儒涉度水也獵捕趕獸也。書記看遍若度水登山獵獸無處不到但不能精詳所以不能為真儒

月眼 欲明鑑曰以月眼照之鑑照也山谷詩讀書眼如月鏬音隙下音乞靡不照鏬隙細小之縫也靡無也月之光但有縫即能透而照之讀書當如月之照庶得周遍所謂無不到也

餬口 餬音胡以文為活曰。餬口於書又凡出外皆可曰餬口於四方左傳去声。○隱公十一年鄭伯曰鄭伯莊公也是歲隱公會齊侯鄭伯三國共伐許潁考叔

取鄭伯之旗先登城遂破許隱公以許與鄭伯言天禍許國假手于我其敢以克許自為己功乎竟不受許遂為下文之辭寡人有弟共叔段不能和協不能和睦而協合之而使餬其口於四方而使叔段寄食於四方之國○謂段元年奔共○言弟尚不能和況能久有許國乎○（正考父音甫鼎銘云）昭公七年所載○正考父孔子八世祖也佐宋戴公武公宣公三命為上卿而愈恭遂為下文之銘于鼎饘于是饘亦粥也是指鼎稠者曰饘鬻音竹於是希者曰粥言為饘粥於是鼎中也以餬余口將此饘粥以餬我口言其儉之至也

舌耕 以學問足食曰舌耕（漢）賈逵音葵通經門徒來學獻粟盈倉或云逵非力耕乃舌耕也孔子所謂耕也餒在其中學也祿在其中矣與此大意正相似也

鼓篋 謂就學校曰鼓篋（記）學記篇入學鼓篋始入學曰擊鼓警眾乃發篋以出其所習之業也孫音遜其業也○所以遜順其學業也此二句正與後夏楚二物相接

函丈 叙別師席曰拜違函丈（記）曲記上篇若非飲食之客謂講說之客則布席相對置席席間函丈函容也左右席間容一丈之地欲其解說之便○函容相對一丈之闊足以指畫○與師相別則違矣故托函丈之席以言而不敢言違師也

束脩 謂教導錢為束脩束脩束脯（語）述而篇子曰自行束脩

以上音賞乾脩乾肉脯也十脡爲束古者相見必執贄以爲禮束脩其至薄者則玉帛之類〔釋注〕脡者挺乾肉一片謂之脡故曰十脡爲束○贄音至以物與人爲信謂之贄也吾未嘗無誨焉孔子言人苟能以禮來見則當盡心而教之也

青衿音金下同學生曰青衿衿佩〔詩〕子衿篇名刺音次學校廢也刺。譏刺也譏子弟不能若學以至于廢學也青青子衿青青純綠之色父母俱存衣純以青子男子也衿領也○青衿者以青布作護領也悠悠我心悠悠思之長也青子佩叶音皮○青青組綬之色佩佩玉也以青絲綬繫玉而佩帶也悠悠我思叶音西○與前悠悠我心同意○以上兩節言學生穿着衣衫齊整佩玉華美徒有外飾中心無所藏也

負笈音乞遊學曰負笈從師〔漢〕蘇章負笈追師不遠千里負。背馱也笈者書箱也追尋求也負笈追尋於師不畏千里之笈也

北面師問於人曰北面師者以師禮尊之也〔莊〕文王迎臧丈人而授之政以爲太師丈人長者之稱也周以太師太傅太保爲三公文王以臧丈人之賢而授之以國政北面而問曰政可以及天下乎北面注見前○當是時紂之暴虐文王施仁政以救天下之民於倒懸也〔唐〕崔日用與武甄音真言春秋疑日用與武甄言曰春秋中所有疑惑願請問之甄條舉無留語逐條一一升舉語意不留於心日用曰吾請北面吾當尊之爲師北面請教

青出於藍〔學〕勝於師云青出於藍〔荀〕楚人名況字卿著書其書名荀

子學不可已不已言人向學而不能止青出於藍而青於藍青色乃由藍中之澱而染之其色又深於藍弟子學不止而勝於師亦若是也冰生於水而寒於水冰乃水之結成其寒反勝於水○此兩節末者勝於本也北史李謐音密初師事小學博士孔璠音番後璠還就謐請業同門生語曰青成藍此謐從璠學藍謝青比璠反從容學師何嘗在明經璠為師之際未嘗明經後謐明經而璠從之

夏楚

夏音賈撻而訓之曰夏楚記學記篇夏楚二物收其威也夏與榎同山楸木也○楚荊也○榎形圓楚形方以二物為扑以警其怠忽者使之收斂威儀也書扑作教刑撻以記之撻打也

○學問類

行秘書

記問多曰行秘書唐太宗嘗出行有司請載副音富書以從有司有司之官也○請請命也○副書秘書副本從隨也○有司請命載之以從行上曰不須上太宗也不須言不須載副書虞世南在此行秘書也天子置秘書閣以藏書言虞世南記問多若秘書閣所藏之多世南隨行若秘閣能行也

墨莊

多文為富號墨莊宋朝音潮劉幾死劉式新喻縣人妻聚書千餘卷指示諸子曰汝父謂此為墨莊莊者藏聚之義墨跡所藏謂之墨莊今貽汝輩貽遺也又也為學殖之具殖生長也又興財生利曰殖○具足備也言聚書之多足以為學業而生財之大道也王荊公勸學云讀書萬倍利者

此也胡先生作傳去声○胡先生名納海陵人也

【詩窖子】窖音教詩人才多號詩窖子高仁裕著詩萬首著作也號詩窖子窖藏也言其多也

【筆端】稱能文者好音號筆端（陸士衡賦云）挫音佐萬物於筆端挫摧也猶寫也筆端尖鋒也賦詠萬物皆由筆端而寫出也

【文不加點】作文全美曰文不加點（摭言）摭音只李白在翰林詔草白蓮花序及宮詞詔天子下令也草寫草字也方大醉下詔傳宣太白醉到中貴人以氷沃之中貴人內臣之貴幸者沃以冷水漫其面髮欲其醉速醒也稍醒未全醒也索音色筆一揮文不加點索取

也舉筆寫之其文不少一點

【吾伊】讀書聲吾伊黃山谷夜聞對牕孫元忠誦書戲作竹枝歌南牕讀書聲吾伊吾伊夷那何之類是也○不聰明者口訥讀書迍邅故有此聲也北牕見月歌竹枝山谷在北窓之下乘月聞元忠吾伊故為此歌

【佔畢】佔音占視簡佔畢（記）學記篇今之教者後世之教人者呻其佔畢呻吟也佔視也簡謂之畢蓋不曉文以故但吟誦所視簡之文多其訊音信○訊問也蓋不能決疑故多其問難也

【挾筴】音策下同挾策讀書挾筴（莊）駢拇篇臧與穀二人牧羊

而俱亡其羊（俱皆也亡羊迯不知所在）臧則挾策讀書（挾以手夾也策書簡也挾策讀書也）穀則博塞字如以人遊（塞與塞同博局戲塞格五戲音色非材曰投瓊曰博不投瓊曰塞○瓊今投子是也亦曰齒亦曰木○莊子本意言二子事雖不同亡羊一也）

唐儒學傳（去聲）四方挾策負素（負任在背素生綃帛古無紙以生帛寫字今通稱紙帛曰素○四方之人皆負素書聚於儒學）

○若學類

斷薺畫粥（斷上聲薺音齊平声畫音佛粥音竹）貧而力學斷薺畫粥范希文修學最貧在長白山僧舍煑粟二升作粥一器經宿遂凝（經宿過一夜也凝結塊也）以刀畫為四塊早晚取二塊斷薺數十莖（音痕）而啗（音淡）之（啗與啖同吃也）

圓木警枕 苦學忘寢圓木警枕宋司馬溫公（名光字君實謚文正相哲宗）以圓木為警枕（警戒也圓木欹轉警戒不使睡着也）纔睡則枕轉而覺（纔睡謂方纔睡得看枕轉以圓木㸃枕其頭纔睡枕轉而遂覺）乃起讀書

○不學類

薺塩 韓愈送窮文大學四年朝薺暮塩

假儒 揚子雲假儒衣書（非真儒衣衫整齊詐為讀書之人）服而讀之（服從也從而讀書者）三月不歸（一去從李過三月而不歸）孰曰非儒也（孰誰）

也更有誰言非真儒其實無所知也

腐儒（黥布傳）黥音擎傳去声○黥布本名英布先受黥罪故以黥為名佐漢高祖以功封九江王（釋註）黥墨刑剌面也漢王折隨何曰腐儒折辱罵也腐爛也為天下安用腐儒哉為得天下而治也治天下必欲得賢人而腐儒何所能焉何所用焉

豎儒豎音署（漢）酈音力食音異其音基勸漢王立六國後六國齊楚燕韓趙魏秦始皇滅之後六國子孫也食其勸漢王復立之為國張良言不可良言天下幸為一統今後立之遊士各歸事其主誰為取天下王罵曰豎儒幾音基敗乃公事豎童子也乃公漢王自言我也言食其無智若童豎然幾乎敗壞我之事也

羊質虎皮有文無實曰羊質虎皮文者外面好看也（楊子）敢問質質身體也曰羊質而虎皮似虎皮加於羊身虎皮則有文采亦如無學者徒有好衣冠也見草而悅羊見草喜而貪食見豺而戰戰恐懼之貌恐豺之傷已也忘其皮之虎也以此論之文質必要得宜考工記曰猶人有美質而後可加文飾

馬牛襟裾（韓符讀書城南詩）韓退之有子名符讀書於郡城之南蓋謂凡人學則為君子不學則為小人耳人不通古今馬牛而襟裾不讀書者如馬牛之無所知識而被服世人之衣襟耳

沐猴而冠（項籍傳）去声○籍字羽韓生說音說項羽都關中說以言化人使人從已也韓生勸羽於關中立國都蓋關中秦始皇所都之地即咸陽也羽懷思

東歸（羽江東人也）曰富貴不歸故鄉如衣（去声）錦夜行（衣穿着也當是時羽兵强勝為諸侯上將軍入關言我既富貴若不歸故鄉如着錦繡夜行則無人見）韓生曰。人言楚人沐猴而冠果然（沐猴獼猴也師古曰雖着人衣冠其心不似人也）

酒囊飯袋

荊湖近事云馬氏奢僭（唐末馬殷據湖南稱楚王而奢侈僭微）諸院王子僕從（去声）烜（音玄上声）赫（音黑○烜赫者僕從以形勢逼挾人也）文武之道未嘗留意（王子徒有僕從烜赫且不讀書文武之道未嘗留於心意也）時謂之酒囊飯袋（當時之人譏其不讀書但務飲食之多是為酒飯之囊袋也）

行尸走肉

（拾遺記）任（平声）末曰人不學者雖存（存未死也）乃行尸走肉（如死尸而能行死肉而能走）

沒字碑 無字碑

五代（梁唐晉漢周為五代）任（平声）圜（音負）曰崔協（音歇）不識文字虛有表（表外貌也）號沒字碑又同時安叔千亦有此事（北夢瑣言）趙崇標質堂堂而不學人號無字碑

不識一丁

（唐）張弘靖曰天下無事（無事天下太平也）爾輩挽兩石弓不如識一丁字（尔輩言汝等也挽以手攙開弓射箭也兩石弓言弓硬健可挑擔兩担之米言凡人雖有如此大力且無所用識得一箇丁字也談識字之人）

紇字不識 紇音歇 魯臧武仲名紇鄒人 紇孔子父 紇乃叔梁紇也皆音恨發切 音釋以恨發為字毋切紇字恨興軒瞎切紇為瞎 而世多呼為核 因切為瞎以音相近而訛為核 （唐）蕭穎士輕薄聞人悞呼武仲名 悞呼紇為瞎 因曰汝紇字也不識今人以為瞎字也不識誤矣

口耳之學 （楊子）小人之學也。入乎耳出乎口 記誦而已未得於心 口耳之間四寸耳 下耳字助語辭 曷足以美七尺之軀哉 曷何也美稱也讚也言口耳之間不過四寸之間何足稱美之以七尺之軀哉

墻面 （書）周官 尚書篇名 不學墻面 人而不學必無所見如面向墻而已 莅音利

事惟煩 莅治也治事不能決疑而舉措煩擾也 （語）陽貨篇 孔子謂伯魚曰 伯魚孔子之子也 人而不為周南召 音燒去声 南 為猶學也周南召南詩首篇名所言皆修身齊家之事 其猶正墻面而立也與 音余猶似也。 正墻面而立言即其至近之地而一物無所見一步不可行也

一聯 音連 （摭 音只 言）賈島不善程試。每疊一幅巡鋪告人曰原夫 音扶 之類乞一聯 原夫賦中轉摺起語字

曳白 （唐）天寶 年號 初選六十四人判入等 試判登科謂之入等 御史中丞張倚男奭 音失 入高等 張倚為御史中丞之官其子〻高科也 為 去声 下第者所訴 下第不中也 明皇於勤政樓下親試

惟十六人稍優稍優作文畧好也餘並下第張㬢不措一辭措置也。考試猶私張㬢高中明皇親考全不能文時號曳白曳。引也引白眼直視也

○朋友類

父執

父之朋稱為父執。記曲禮上篇見父之執人子見其父之執友不謂之進不敢進命之進然後進不謂之退不敢退命之退然後退不問不敢對問之然後對此孝子之行音幸也以上言孝之行

杜詩怡然敬父執問我來何方杜甫作此詩贈衛八處士言相別二十載矣。昔時相會猶未成婚今也兒女成行怡然和樂施子弟之敬。視我為父之執友又且問我来自何方

金蘭契

契約也至交為金蘭契易繫辭此繫辭上傳所載也○繫之義已見第一卷人君類寶位之下二人同心其利斷端上声金二人心意相合一同凡事無不利順至難之事則能為之石雖堅而能破金雖堅而能斷同心之言其臭如蘭臭香氣也言君子之心能同如蘭之香也。南山之蘭與北山之蘭生雖異處香則同也

刎頸交

刎音文上声至交為刎頸交史記廉頗謝罪於藺相如藺音吝○相如賢能趙惠文王以為上卿。居廉頗上。頗曰我羞為彼下我見相如必辱之相如聞之。不與計較。頗見相如度量寬大至是反謝之卒與驩或作懽為刎頸

之交〔要齊生死而刎頸無悔餘詳見後第七卷遊謝類負荆之下〕

同硯席　與人同學曰同硯席。（漢）宣帝少〔音紹〕時與彭祖同硯席〔彭祖性嚴學春秋於睢孟宣帝時為傅士（釋註）睢音惲〕

白頭如新　謂不相知曰白頭如新（鄒陽傳）〔去声〕白頭如新〔言初相識久別至白頭。之時不相知猶言未得會既會頭已白若漸新白也〕傾蓋如故〔傾放下也。道行相遇軿車對語兩蓋相切則放下之當此之際情意甚密其心如故不改〕

傾蓋　孔子之郯〔音談○之往也。談。國名〕遭程子於塗。傾蓋而語終日甚相親也

千里命駕　謂遠方朋友過訪曰。仰辱千里命駕〔仰。瞻而已

辱恥也蓋恥無德而辱率賢者。遠来過訪也〕（晉）呂安服嵇〔音兮〕康高致〔服敬服其有德也高致有高節操之致也〕每相思輒〔音輙〕千里命駕從之〔輙專意也士大夫之出必乘車行〕

芝蘭　謂朋友作成曰。仰拜芝蘭之化（家語）〔六本篇〕與善人居。如入芝蘭之室〔與善人同處。如入芝蘭之室也〕久而不聞其香。即與之化矣〔久後不聞其香氣與芝蘭俱化矣〕與不善人居如入鮑魚之肆〔鮑魚敗也。與不善人同處如入鮑魚之店也〕久而不聞其臭亦與之化矣〔久後不聞其臭氣亦與鮑魚俱化矣〕是以君子謹其所與處〔除上声○謹其所處擇善人而與之交與惡人交惡人誘引為惡我亦惡矣〕

勢利交

文中子以勢交者。勢傾則絕(傾倒敗也言無勢則盡絕矣)以利交者利窮則敗(財利窮盡則至於敗)君子不與也(君子不與勢利之人相交而但與道義之人相交以桼歲寒)

忘年交

禰(音你)衡有逸才(禰衡有俊逸之才)少(音紹)與孔融交時衡未滿二十而融已五十為忘年交(賢者之交但以才德而不計年之長幼)

耐久朋

魏玄同與裴炎締(音帝)交(締結也)能保始終(保全交道始終不移其心)時人呼為耐久朋○廉頗免長平。歸故里(免長平詳見前第一卷子孫類讀父書之下)故客盡去及復用為將(去声)

客又至頗曰客退矣(頗叱之令客退怒其無常情而趨時)客曰吁(吁嘆息之声也)夫(音扶)天下以市道交(市井之道惟趨利而已以財利相交而不知道義之交)君有勢則從(趨勢者無過圖利)君無勢則去此固其理也(固實然不妄真有此理也)有何怨乎(題頭謂之耐久朋廉頗之朋無常情而不耐久疑不當同載此節觀者幸鑑)

膠漆

膠(音交)漆(音七)雷義舉茂才(雷義有茂異之才當時舉之為官)讓於陳重(去声○義與重相交極厚而讓與之)刺(音次)史不聽(刺史今知府是也不聽義之讓重也)義遂徉狂披髮走不聽命(徉狂披髮詐以為風顛也)鄉里為之語(鄉里鄉里之人也)膠漆自謂堅不如雷與陳(以膠投於漆中)

其堅牢莫能解言膠漆雖堅又不如雷陳心之堅也

杵臼【後漢】公沙穆来遊大學（遊大學從讀書也）無資粮乃變服客傭（音客○傭受顧也不着儒者之衣穿着常人之服以工顧於人家也）為吴祐賃舂（賃借傭也為吴祐賃舂之人受顧以得給也）與語大驚遂共定交於杵舂之間

結綬彈冠 王吉字子陽與貢禹為友時稱王陽在位（在位在官位也）貢禹彈冠（彈冠彈其冠上之塵以入仕使之繫而不汚正其衣冠君子之行也王陽所以薦之）蕭育與朱博為友著聞當代（著昭昭明顯也當代猶言當其世也）王貢彈冠言相薦引也

莫逆（莊子）（太宗師之篇）子祀子輿子犂子来四人相視而笑（四人相與語曰孰能知死生存亡之一体者吾與之為友矣遂相視而笑）莫逆於心遂相與為友（心相合絶無悖逆以故相與為友）

夢中相尋 六國張敏與高惠為友每相思不能得便於夢中往尋但行至半路即迷不知路

死友（列士傳）（去声）羊角哀左伯桃為死友（古人為友雖不同時而生誓願必同時而死故曰死友亦曰至死不相背負）聞楚王賢往尋之道遇雨雪計不能俱全乃并衣粮與角哀入樹中死（并撿合一處不使散亂也）

音淳牢（江表傳）美酒也

醇醪

瑜折節不與較（较計較也）程普以年長數侮周瑜（侮戲也玩也，侮音武，瑜音周瑜）聲去普後自敬服而親重之（親愛也，聲去）之親近也乃告人曰與周瑜交若飲醇醪不覺自醉（醉與人交久而敬之）瑜與人交之量若晏平仲善

雉壇（閉戶錄）

段公著五代時梁唐晉三人為朋築壇以丹雄白犬軟血而盟曰（丹雄紅色野雞也，軟犬取血也）盟設誓也殺雉軟犬取血各飲以誓中（殺雉軟犬取血也）卿乘車我戴笠（君富貴乘車我貧賤戴笠而行）他日相逢下車揖我步行卿乘馬他日相（心不改也）逢下（此兩節譯馬當下意同）

譯馬當下

書言故事

〔卷之三〕 十七

翟公書門（鄭當時傳）

翟公為廷尉（廷尉漢制廷尉之官持法得平以決，聲去）賓客填門（填客多而及廢為廷尉不用其門外可設）及廢門外可設雀羅（羅網也設網張崔可以網雀也）後復為廷尉客欲往翟公大書其門曰一死一生乃知交情一貧一富乃知交態一貴一賤交情乃見（康更音庚）知交態意美也

出褐吏優（郡氏聞見錄〔宋〕韓億）

（亦音李若谷未第）時俱貧同途赴試京師共有氈一席一割分之每謁更為僕李先登第授許州長社縣主簿赴官自控妻驢勒（勒也，韓為聲去，負一箱將至長社三十里）

李謂韓曰恐縣吏至（縣吏來迎接也）篋中止有錢六百以其半遺韓（遺與也）相持大哭別去後舉韓亦登第仕皆至參政

綈袍戀戀（綈音帝）〔史記〕范雎為秦相（去声）聞魏使（音事）須賈至秦雎乃微行見須賈（微行謂变常不乘車馬不帶僕從若微賤者獨行耳）賈曰范叔一寒如此哉乃取綈袍賜之（綈袍綈絮夾衣也）也後雎謂賈曰公所以得無死者以綈袍戀戀有故人之意（范雎魏國人也從須賈至齊齊王聞雎辯口賜之金及羊酒賈疑雎以魏國私事告齊王。歸告魏相魏齊魏齊怒笞擊雎雎詐死棄之厠中。雎変姓名曰張祿走至秦：王以雎為

相至是微行見須賈為賈御車。至丞相府前謂賈曰君駐此吾與丞相言君可來見。良久不出賈問門下之人乃知范雎為相賈以膝行入内謝罪雎坐責之曰昔時汝之謗我令日如何本當殺汝々以綈袍尚有故情免汝之死）

金石交　交情堅曰金石交〔孟郊審友詩〕云云結友若失人（不得善人與之交）中道生謗言（生誹謗之言而不和也）君子芳桂性（君子之性有常而不改其善若丹桂之常茂而不改其色）春濃寒更繁（耐歲寒之久也）小人槿花心朝在夕不存（小人之心若槿花之不能久也）惟當金石交可與賢達論（言若當金石之交惟賢達之人心堅可與論之）

閉關却掃〔江文通恨賦〕敬通見詆（音底）罷歸田里（馮行字敬

通少有才明帝以其過失遭詆毀罷其官故歸田里閉關却掃關外總門也閉之洒掃使
以清靜塞音色門不仕塞門示不復出也〈漢書〉趙壹閉關却掃
非德不交

面朋面友 朋友心不孚曰面朋面友也孚信〈揚子〉朋而不
心面朋也友而不心面友也

落穽下石 穽音請下音遐上声〈韓文公撰柳子厚墓誌〉劉禹錫除播州
剌史子厚除柳州剌史。子厚念禹錫母老。播州非人所居地方不好也。奏于朝願以柳換播禹錫遂
得改除連州韓公遂有下文嗚呼之嘆嗚呼士窮乃見節義今夫音扶
平居里巷相慕讀悅酒食遊戲相征逐此等之人所悅不過

酒食遊戲之間相與征逐而已詡詡音許強去声笑語以相取下詡人語也
言其詡詡然勉強笑語此詡與取卑下以謙遜獨握手出肺肝相視執手言真
情如見肺肝以相視指天日泣涕。誓生死不相負。真若可信
當此之際若實有此心而可信一旦臨小利害僅音慶如毫髮比僅渺
也小利害僅如毫髮之細反看若不相識。落陷穽不一引手救
陷穽坑坎也。人遭患難如落陷穽小人之心不能舉手以救之反擠音躋之而又下
石焉者。皆是也擠排陷也既陷之而又下石以擊之此宜禽獸夷狄
所不忍為讀而其人自視以為得計句聞子厚之
風亦可少燒上声愧矣

青松落色（孟郊詩）近世交道喪（去声）青松落顏色（青松之色）四季不改交道喪失如松落色

交絶惡聲（樂毅書）（毅音義）古之君子交絶（讀）不出惡聲（絶交必有不然處則不復交既不交不説已長不談彼短）忠臣去國不潔其名（占之國士非一國君有過而不用賢賢者則去他國不自潔其名。不云已無罪而歸咎於君是不忍彰君之惡可謂忠矣）

息交（淵明歸去来辭）（陶淵明為彭澤縣令郡遣督郵至縣吏言當束帯見之淵明曰我不能為五斗米折腰向鄉里小兒乃解印綬歸田遂作此辭）歸去来兮（自嘆起語以遣其興）請息交以絶遊（請息官途之交戚絶其貴近之盛者）

口頭交（孟郊詩）古人形似獸皆有大聖德（大聖之有德萬善足焉但有德不在外貌）今人表似人獸心安可測（今人儀表過勝於人或足禽獸之心安可測焉）雖笑未必和雖哭未必戚（戚憂愁也）向結口頭交肚裏生荊棘（言其心惡似生荊棘於中）

○交情類

淡交（莊）君子之交淡如水小人之交甘若醴（音禮○甘味甜酒醴泉狀如酒）君子以親小人甘以絶

久要（如字）舊約曰久要（語）（憲問篇）子曰。久要不忘平生之言。亦可以為成人矣（久要舊約也。平生。平日也。有足忠信之實則雖其其才知

禮樂有所未備，亦可以為成人之次也

平生懽 素相善曰平生懽素積日之久也（漢）張耳傳去声貫高

仰視沛公沛公素與貫高相知故漢高祖漢貫高閔之勞苦如平生懽勞去声懈悶也相勞悶其勞苦也如意相愛盡平生懽（後漢）馬援與公孫述

同里閈音汗相善二十五家為里閈即閭里之摠門也以為當握手歡

如平生握執也。執手相親合歡以盡平生之意也

接慇懃（漢）司馬遷報任安書僕與李陵俱居門下僕司馬遷自称也。俱皆也。言皆居任安門下也。未嘗銜杯酒接慇懃言未曾以酒謝之以效慇懃之意

承顔接辭（漢）雋全上声不疑見暴勝之曰竊伏海瀕音平○竊伏隱居也瀕水涯水邊也言其隱居於海邊也聞暴公子舊矣公子勝之字也有令名舊日之所聞也今乃承顔接辭承顔承順顔色也接辭。接其辭氣也言舊日聞而未見今幸見而交談

半面識 曾相識曰有半面識（漢）應平声奉嘗詣音義袁賀詣至也至袁賀之家賀時出閉門句造車匠於内開扇戶。出半面視奉句奉即去句後數年路見車匠識而呼之

責沈音審謝未識用責沈隱侯中元豐閣為禮部點檢

官與范淳夫同舍。淳夫論去聲顏子不遷怒、不貳過，讀伯淳有之。故淳夫論警，怒於甲者不移於乙，過於前者不復於後。淳亦有此論，性伯淳亦有此論中也。公問伯淳誰也，公索於淳夫曰：不識伯淳耶？人所共知程明道先生也。莘中引此自責，言我不知伯淳，即如葉公名沈，不知何人，問孔子於子路，子路不對。孔子曰：女奚不曰？言我不知孔子何以責葉公。是常自愧，乃引葉公之事，責葉公讀作責沈文，公謝，實未知自。

書言故事　卷之三　二十二

【總角之好】

與孤有總角之好　孫策曰公瑾魏音

兒時相與有總角之好。孫策曰公瑾。號音。孫策為長沙王，孫權之兄也。公瑾，周瑜字。孤，策自稱也。總角謂

收髮結之以為裝飾，男子未冠之時。骨肉之分，親義蓋如此。任昉字四人，東里西，流離不能自振。

【五交】

劉孝標廣絕交論

素交絕，論交謀其舊友。振舊友莫卹，道逢劉孝標，然曰：我當為汝作稽康計。乃著廣絕交論。

故有絕交書。以勢交謂勢強豪強。財也，送以賄字誤，論交以口談論交。窮交相處，量去聲，交寬量洪，為五交，此五交者皆不可交，故絕之。

【青雲交】

仕宦相與曰有青雲交。江淹字文通曰，表（報）叔明。

與余有青雲之交，非直銜杯酒而已。

○父執類

○文辭類

父之友曰執友〔已見此卷前朋友類〕

〔聞見錄〕韓魏公守北京〔宋相三朝天子車駕京〕魏公名琦字稚圭仕趙

在京則置留守李稷以國子博士為漕〔曹去聲〕

北京大明府也李稷為博士為漕○

蓋魏公先以國子博士為漕漕轉運官

士後漕頗慢公公不與校〔音爭也〕校松魏公

之校也俄不久也代魏公

公不與校反俄文潞公代魏公

待之甚禮〔待之甚以禮反〕如此而慢魏公吾

留守潞公替魏公

而為下李稷絢〔玄聲去〕我門下士也聞稷敢慢

魏公必以父死失教至此〔以姪禮待稷也〕

視稷猶子也〔姪曰猶子言吾客也乃

書言故事〔卷之三〕二十三

訓之至庭前訓誡之也公至北京李稷謁見坐客

次久之公著〔聲〕入道服出語〔聲去〕之曰而父吾客也

而汝父也汝乃姪輩我為姪輩汝父吾客也

吾門下之客也只八拜當八拜我魏稷不獲已如

數拜之

○間別類

〔解袂〕〔分手〕〔分首〕杜

詩寄賀蘭銛〔銛音纖姓〕歲晚仍分袂〔又〕湘江餞裴

瑞解袂從此旋還〔又〕寄劉主簿弟分手開元末關元

〔唐玄宗〕〔又〕送辛員外直到綿州始分首

年號

分袂

袂衣襟也忽忽分袂急遽〔解袂〕〔又〕瞻分袂不子細貌

忽忽告別（杜甫酬孟雲卿）相逢難衮衮〈衮衮不安欲去之貌幸得相逢難可如此〉告別莫忽忽〈忽忽急遽疾速也。言告別之際必須盤桓幸勿急速也〉

參商言朋友不相遇曰參商（杜甫贈衛八處〈音佇〉士）人生不相見動如參與商〈參商二星也一出一沒無相見之理。（左傳）昭公元年子產曰昔高辛氏有二子長子曰閼伯少子曰實沈居于曠林之地。不相着每日用兵攻伐帝堯惡之遷閼伯于商丘主祀辰星故辰爲商星在東方卯位遷實沈于大夏主祀參星在西方申位。使二子居東西永不相見也。閼音遏辰星大火也。參水星也（釋注）〉（又）送高適常恨結驩〈驩或作歡〉淺各在天一涯〈音艾〉又如參與商慘慘腸中悲

十日不一見杜甫偪側行〈畢曜有文集行于世與杜甫相善爲詩酒之交於是作此行以贈之〉偪側復偪側我居巷南子巷北〈子畢曜也〉可憐憐里間十日不一見顏色

如三秋徒誦一日三秋之詩〈人生不得常會徒誦此詩〉（毛詩）〈采葛篇〉一日不見如三秋兮〈三秋秋季三箇月也。別未久而似久也。○餘詳見後第六卷瞻仰類采葛之下〉

會面難（杜甫贈衛八處〈音佇〉士）焉知二十載〈音宰。焉安也。安知相別二十年後〉重〈平声〉上〈音賞〉君子堂〈再得上登君子之堂君子者指衛處士也〉主稱會面難〈主人稱說會面不易〉一舉累十觴〈一舉杯承賜十觴之多〉

【一別三春】杜甫贈王侍御勢名

一別星橋夜造橋上李冰守蜀

應斗魁七星故曰星橋其夜別於此三移斗柄春言一別已三年矣

【聚散十春】杜甫別蔡著作

著作郎官名也。作憶念鳳翔都念

聚散俄十春

思慕也。思慕鳳翔之相聚會也。散之間似未久俄已十春矣。每年一春也。言人聚

【九載相逢】杜甫別唐十五誠

九載一相逢百年能幾

何

書言故事　卷之三　二十五

【尊酒相逢】韓愈贈張籍詩

樽酒相逢十載前君為壯

夫我少音紹年際為壯夫言之樽酒相逢十載後我為

【幾年一會】杜甫送敬使事音君

君相見各頭白其如離別

何人之離別何其　幾年一會面今日復悲歌

無柰其幾年一會今日始得

一會作此歌　少壯樂相得此相得心相合彼

以悲傷之也　少紹壯音洛相得心相得其情也

寒心匪他　晚年寒心如一更無他意。少壯有

相顧無間斷君子之心有始有終歲

壯夫君白首

【相逢十一秋】杜甫送李衛與子避地西康州相逢十二秋年冬寓同谷至

避難之地也。西杜公以乾元二

廣州即同谷縣洞庭相逢十二秋

是年為十二秋矣

【夢想三年】

夢合想風采於三年之久(韓愈贈元恊律)

卷二十三

寄聲

朋友以音問見及曰蒙寄聲趙廣漢謂湖都亭
長掌曰界上亭長寄聲謝我讀何不為致問何

趙廣漢宣帝時為潁州太守。帝時前第一卷古人偷。顏師無面見江東之下。設亭長主捕盜賊。亭謂停歇。○廣漢言謂湖都亭也。蓋行旅館舍之所如今鎮市也。○亭長能寄聲謝我汝湖都問馬。界上亭長何不亦致問馬。

○會遇類

傾盖

朋友類 已見此卷前 類之下

盍簪

叙未會曰末筮 笪世盍簪也 笪卜 〈易〉豫卦 雷地豫 卦名也

由豫大有得 豫和樂也九四獨陽為豫之主動而
眾陰悅順豫之為豫蓋由於此劉而
有言故大有得大行其志也
有孚故 勿疑朋盍簪當至誠則朋類自
勿疑朋盍簪

班荊

會遇人於途云比 比皮去聲 獲班荊獲得也 〈左〉楚伍
舉與聲子相善 甚好也 相善相與
聲子如晉遇之鄭 聲子杵鄭國之郊
班荊相與食而言復故
荊杵地坐而共食 故言復歸故國蓋伍舉楚
大夫坐時破說出奔 之議可復歸楚言汝旦
往也我必能使汝以歸 後未者評之襄公二
十六年其說近似 但無說近似

青眼

青眼荷 声上 人愛孕云極厚青眼
荷猶言受也青眼乃受愛也
極厚以青眼而相看

青黄

入冕章之迷臾青黄
...
拳與養予味差
曾點入林釼云北
...
○會遇聯
綠未會曰未遊鹽虆
...
尋

青盻（音許○青眼顧盼也）阮籍能為青白眼。見禮法之士以白眼待之（阮籍愛飲酒而放浪形骸禮法[illegible]拘心中不悅白眼見矣）。母終讀嵇（音兮）喜來弔，籍作白眼；喜弟康乃挾琴齎（子西又）酒造焉（齎持也），籍大悅，乃見青眼（見音現）。

知音

見知於人曰遇知音。（列子）余伯牙鼓琴，鍾子期善聽。伯牙志在高山（志在高山。志有所好也。孔子曰仁者樂山。○仁者安於義理而重厚不遷，有似於山，故樂山），有子期曰：峩峩兮若大山（峩高聳之貌。言伯牙有似太山之高）。志在流水（孔子曰知者樂水。○知者達於事理而周流無滯，有似於水，故樂水），子期曰：洋洋然若江河。及子期死，伯牙破琴絕絃，不復鼓琴，以為世無知音者。

聆音接辭

聆音接辭。慰喜過望。（韓愈答張籍書）聆其音聲（聆，聽也），接其辭氣（接，交也），則有願交之志（听其音声之美，接其辭氣之和，察之若斯，以故願交）。因緣幸會（有緣幸以相會），得遂所圖（得遂於心圖以相見）。豈惟吾子之不棄（惟，獨也。吾子指張籍也。言非獨吾子之不棄）於我也，抑僕之所遇有時焉耳（抑，起語辭。僕，韓愈自稱也。言我得遇於賢者而有其時也）。

即溫聽厲（音利）

不得即溫聽厲，良以為歉（音欠○良，長也。歉，不足也）。言不得見其顏色，又不得聽其言辭，長以為不足於心也。（語）（子張篇）即之也溫（即就）

也謂就近其身則見其顏色之温和聽其言也厲厲。高上也，聽其辭之確。○此子夏形容居子氣象。後来者。非有德不足以當此語。程子所謂惟孔子能全之也

對床風雨（連床夜語）（韋應物詩）應去声 寧知風雨夜復此連床對床眠或曰寧知後来有風雨之夜復於此對床而眠（山谷送王郎）連床夜語雞戒曉書囊無底談未了

○訪臨類

照臨 謝人過訪曰。仰辱照臨（左文公十二年）襄仲辭玉襄仲魯大夫也。秦伯使西乞術持玉来聘於魯且言將伐晉文公使襄仲辭其玉。不欲與秦伐晉曰君不忘先君之好音號。自此及下文襄仲傳文公之言也。言秦君若不忘我魯先君之好照臨魯國言秦如日月照臨我之魯國鎮撫其社稷以鎮安撫魯國之社稷

臨況 辱賜臨況（史）（田蚡傳）蚡音紛 去声 將軍乃幸肯臨況魏其將軍田蚡也，況賜也。魏其即竇嬰。有功封魏其侯也。漢灌夫與竇嬰交遊。若父子。灌夫有喪服過訪田蚡。言吾欲與灌夫同訪魏其侯灌夫曰將軍乃幸肯臨況魏其吾不敢以服為辭遠命駕

左顧 辱賜左顧之寵（淮南憲王傳）去声 子高乃幸左顧古之長者居右少者居左長者顧少者。故曰左顧猶言枉顧也少者謂長者理順以為使長者顧少者理逆以為枉。此所謂枉屈[illegible]者之顧盼也

見臨 寵賜見臨〈韓愈與楊子書〉學問有暇。幸時見臨言學問之隙。倘有閑暇幸得何時見過也

也

惠肯 請人曰仰覬音計惠肯覬希望也〈詩〉終風篇惠然肯来惠順

德星 人見訪辱德星照臨〈漢〉陳寔音石字仲弓荀淑。字季和寔與子姪造淑父子。討論去声于時。德星聚于時正討論之時也。德星。景星也。有赤方氣與黃方氣相連南方中有兩黃星東方中有一黃星三星合為景星。故此曰德星聚太史司天臺觀天象之官也奏曰。五百里內。有賢人聚餘詳見前第一卷祖父母類小孫待祖之下

聞足音 聆謦音慶欬開去声〈莊〉徐元鬼篇夫音扶逃虛空者逃禍難于虛空無人之地聞人足音跫音凶然跫人行声而喜矣聞人足声心即有所喜況乎昆弟親戚之謦欬其側乎小声曰謦。大声曰欬。言人逃匿空谷之中。聞人足音。跫然其心即有所喜。似有相親之意。何況昆弟親戚謦欬之声切近於其側。何得而不親愛乎

都騎 去声謝人見訪云都騎賁音閑臨都盛也。多也。言盛此車騎見訪而光賁之也司馬相如從去声車騎雍容閑雅甚都相如每訪於人車騎之盛雍容如此

高軒 辱高軒寵過軒車也。言辱寵愛而乘高軒過訪也華裾賁臨裾。衣裾也。

華美之衣裾而光賁見臨裾翠金環人穿翠色衣裾馬鑾金環賁我蓬蓽音必○蓬以蓬為戶。華荊竹為門言衣馬之盛而光賁於我蓬蓽之下

（唐）李賀七歲能文韓愈皇甫湜音實過之皇甫覆姓過訪也作高軒過曰作李賀作也華裾織翠青如葱華彩衣裾織文翠飾青色如葱金環壓轡音閑揺玲瓏以金環壓鞍轡揺動則玲瓏如玉声

長者車 長音掌車音居辱長者車轍過我辱羞耻也自謙之辭言無德牽率長者過訪於我而有所耻也轍車行之迹也（漢）陳平好音號讀書家貧郭窮巷城外曰郭負郭切近於城也陳平家住城外深巷也以席為門席睡卧之席也家貧掛席為門門外多長者車轍

命駕 召客云幸賜命駕已見此卷前朋友類千里命駕之下

瞻紫氣 候朋友至云。瞻紫氣之来老子將渡咸谷關關吏尹喜關吏守關之吏也先望見紫氣知有神人来果見老子乘青牛薄板車徐甲為去声御来度關御謂御法御者執轡立於車上欲其調習不失驅馳之下也喜拜之老子教喜煉氣受以長生之術

連璧 謝二客同至者連璧賁臨（晉）潘岳與夏避上声侯湛並美姿容行止同輿接茵茵褥也同乘一輿相接連共褥茵而坐京都謂之連璧京都之人。見其貌美行止不離言其若璧玉之相連

親舉玉趾 音止 欲人親行云望親舉玉趾 趾脚足也王趾称其足如王之貴也〔左〕齊孝公伐魯 魯僖公二十六年 公使展喜犒 苦到切又音靠 師 公魯僖公也犒以飲食勞之也師軍旅也公使展喜迎于齊師 曰寡君聞君親舉玉趾 展喜言我魯君親為此行也 將辱於敝邑 言齊侯肯以玉趾辱臨魯國也 使下臣犒執事 不敢斥尊者故託言來犒齊執事之臣也〇此與後第七卷貧乏類懸磬之下相接

聽尚書履 尚音常 待賓至云拱聽履〔漢〕鄭崇為尚書僕射 音夜 數 音朔 諫諍哀帝納用之每聞革履聲 革履皮鞋也哀帝聞鄭崇履之声也 笑曰我識鄭尚書履聲

見諫議面 披讀來翰如見諫議面 披拆開也翰書翰也

盧仝謝孟諫議惠茶歌 孟簡為諫議大夫以書惠盧仝茶盧仝作此歌以謝之盧仝即玉川先生也 開緘宛見諫議面 開緘封宛然如見孟諫議之面目 首閲月團三百片 首先閲視所寄月團茶誇凡三百片

〇延接類

晋接 謝人延遇曰仰屢 音覲 晋接〔易〕晋卦 大地晋卦名也 ䷢ 晝日三接 正晝盛明之際至於三次接待言寵遇之至也 用錫馬蕃 音凡 庶 錫賜也王者賜諸侯之馬也蕃庶衆多也以受賜衆多車馬而迎接於賓也〇晝日三接合居此句之下然非本題所係合用

開東閣 譽音余接待人者為開東閣譽稱美也（漢）公孫弘起徒步徒步常人徒行無車馬由常人而起身也數年至宰相去声封侯於是起客館開東閣以延賢人閣小門東向開之避當庭門而引賓客以別於掾吏官屬

倒屣 音史謝人迎接云重音仲屢音覲倒屣屣鞋也（漢）蔡邕賓客填音田門聞王粲至門倒屣迎之倒屣荒忙到穿鞋也曰此王公孫有異才吾不如也粲曾祖龔祖暢皆漢三公故云王公孫

下榻 下音遐上声謝止宿相款云仰屢音覲下榻徐穉音滯字孺子豫章人豫章今江西南昌府是也陳蕃音番為豫章太守罕所接見惟設一榻以待徐穉去則懸之徐穉辟薦不仕郭林宗称為南州高士**滕王閣序**王勃作人傑地靈人之英傑皆由地之發聚也徐孺下陳蕃之榻下陳蕃放下榻以待徐穉

投轄 閑入声謝款留云重音仲蒙投轄（漢）陳遵字孟公每大飲賓客滿堂輒音折關門取客車轄投井中輒專也轄車軸頭鉄也車無轄則不能行雖有急不得去

前席 重音仲待人曰為之前席（漢）賈誼為長沙王大傅文帝徵之徵召也至入見誼既至而入見文帝也上因問鬼神之本上文帝也○子曰鬼神之為德其盛矣乎程子曰。鬼神天地之功用而造化之跡也〈語錄

功用只是論發見者。如寒來暑往。日往月來。春生夏長皆是風雨霜露日月晝夜。此鬼神之跡也。陳氏曰造化之迹。以陰陽流行著見于天地之間者言之。張子曰鬼神者二氣之良能也（語錄）良能是說往來屈伸乃理之自然非有安排措置二氣則陰陽良能是其靈處。愚謂鬼者陰之靈也神者陽之靈也○天地間如消底是鬼。息底是神生底是神死底是鬼。四時春夏為神春生夏長也秋冬為鬼秋收冬藏也人之語為神默為鬼。動為神靜為鬼呼為神吸為鬼誼具道所以然具備足也。所以然者所以此事理之當然也誼於是備道其故至夜半文帝前席前席促近所坐之席

醴酒不設醴音禮

待人禮貌衰曰。醴酒不設。楚元王交敬禮申公等穆生不嗜音是酒嗜欲也元王每為去声設醴醴甜酒也及王戊常設王戊元王孫也後忘設焉穆生曰醴

酒不設王之意怠遂去

掃逕

待賓至云掃逕以俟（杜詩）掃逕望三益詳見下文（語）季氏篇益者三友句友直與直者為友則可聞已之過此一益也友諒諒信實也。與信實之人為友則我可進於誠此二益也友多聞與多聞之人為友則我可進於明此二益也益矣以掃逕待此三等之友以故有益於我矣

擁篲音遂

擁篲以迎（史）魏文侯擁篲以迎朋友篲掃帚也擁篲迎朋友上節所謂掃逕望三益者是也握手歡如平生已見此卷前交情類

○賓主類

主人翁 魏使(如字)須賈至秦。范雎知之，為微行，弊衣閒(去声)步之邸，見須賈。(微行，作常人獨行也。弊，壞也。閒步，步行偏僻小逕也。之，往也。邸，邸舍也。前溪詳見朋友類綈袍戀戀之下)賈驚問曰：秦相(去声下同)張君，公閒之乎？范雎曰：主人翁(雎詐言是我主人翁，賈不知張相即范雎)願為(去声)君借大車駟馬於主人翁。(雎言於賈曰：吾與主人翁借車馬與君。駟馬駕車也)一范雎為(去声)御之。(御為須賈御車也)入秦相府。(范雎既入相府)須賈待門下良久。問門下曰：范叔不出，何也？門下曰：乃吾相張君。賈大驚。

客館 (已見前延接類開東閣之下)

珠履客 〈春申君傳〉(去声。春申君姓黄名歇，為楚相)趙(國名)平原君(趙勝)使人於春申君，皆玳瑁(音昧)簪。楚舍之於上舍(舍之者，安置以就客舍也。傳舍有差等，春申君敬重之，而置之於上等之舍也)趙使(音事下同)欲誇楚，刀劍室以珠玉飾之(趙使，趙國使臣也。室，刀劍鞘也。以珠玉裝飾之，以為華美而誇耀於楚)請命春申君。(趙使請命，欲得以見春申君也)得春申君客三千人。(延使客於門下，常有三千之數)其上客皆躡(年入声)珠履以見趙使。(三千客有差等，文武備具者為上客。躡，足也。履，鞋也。珠履，惟上客有也。今人以為三千客皆珠履，則誤矣)趙使大慚。

留東閣 謝延待，仰蒙東閣之留。(東閣見前延接類) 〈漢〉薛宣為

丞相（去声）朱雲往見之宣謂曰。在田野無事。且留我東閣（讀）可以觀四方奇士（奇士宜好客門下多賢人也）雲曰小生乃欲相吏耶（如字）（小生雲指薛宣謂其新學後進相吏言其欲以我為吏手和）（同也）〈東坡詩〉曾為東閣吏正引此

座上客常滿 北海孔融性寬容好（音號）士（孔融為北海王相）及退閑（公退不理政閑暇之際）賓客日盈其門（日者日日不斷也）常嘆曰。座上客常滿尊中酒不空吾無憂矣

○叙擾類

擾亂春風 謝擾人云擾亂春風〈羅隱柳詩〉明年尚有新條在擾亂春風卒未休（卒音存入声○擾累於人多矣如柳條之擾春風不能休矣）

炊金饌玉 （炊音吹）謝人款遇仰蒙炊金饌玉駱（音落）賓王謂盛饌為炊金饌玉（盛多且好也炊爨也饌飲食也讚飲食之美如金玉之貴重）

白飯青蒭 （音初）有僕馬云辱。白飯青蒭之與〈杜詩〉（入奏行贈賓侍郎）肯訪浣花老翁無（浣花成都府溪名。杜甫所居浣花老翁杜甫自稱也）（無疑辭言肯來訪我否）為（去声）君酤（音沽）酒滿眼酤（酤買也蜀人酤酒提以竹筒筒上有穿繩眼其酤酒者曰滿眼酤言酒滿近筒眼）與奴白飯馬青蒭（蒭草）

也奴僕與之白飯馬與之青草

兵廚　謝攖人重音仲為兵廚之攖（晉）阮籍聞步兵廚有貯除上声酒三百斛貯收藏也。十斗曰斛古人以斗斛量酒乃求為步兵校尉阮籍性好酒亦求為步兵欲得有酒也。王勃所謂阮籍猖狂

行廚　謝道中攖人云為行廚攖（瑣言）修道功深已成者已成已得道也自然享六甲行廚六甲神名神仙所至自然有六甲行廚隨所需仰有有所需舉意即至需。求也。但舉意求之凡物能至矣

雞黍　攖飯云雞黍之款（漢）范巨卿與張元伯為友。春到京師。秋為期京師帝都之所也。期，約也。春別之際議秋月復約下文之日以相訪

元伯九月十五日。殺雞為黍以待黍。黍稷也。北方有黍子圓而太。可為飯待。以前曾有約。故殺雞為黍候其至也。母曰千里何期之審元伯母言隔越千里之遠何能審之。今日果然来也元伯曰巨卿信士言其至誠必不失信言未畢畢了也巨卿至母大悅巨卿升堂拜其母盡歡而別（語）微子篇荷上声蓧音桃丈人止子路宿荷，負也。篠，竹器。丈人隱逸之人也。子路從孔子而在後。見丈人。以杖荷蓧問其見孔子乎故丈人止子路宿焉殺雞為黍而食音似之食飯也。食之者以飯待之也

戒食　答人相招云。伏辱戒食（左）襄公十四年衛獻公戒孫文子寗惠子食文子孫林父也。惠子寗武子之子也。獻公戒飭二子欲共宴食皆

服而朝音潮。二子皆服朝服待命於朝日旰音幹不召旰晏也羣日晏而公不召而射鴻於囿獻公方且射鴻鴈於苑囿之中而不與食二子從之二子不得命遂從公于囿二子怒

為具

讓言禮薄初無為具具。備具也。言無所有不能備具以相待也

草具

招人讓言草具奉邀（史記）項王使如字使音事至漢使使臣傳命者陳平使音死為大牢具舉進大牢牛一豕一羊一為大牢。大牢牛也。少牢羊也。舉進。舉昌俎而來為盛饌以相待至敬之見楚使音事下同佯驚佯詐也曰吾以為亞父音甫使乃項王使也持去更音庚以惡草具進亞父范增也。范增佐項王。王强勝陳平佐漢王設此計使項王不用范增使者歸告項王曰陳平以臣為亞父使而重待之及知臣為大王使而以惡草具進。重亞父而輕大王也。項王果不用亞父也

○惡客類

惡賓

（漢）公孫弘食音似故人高賀。食。飲也以飲待高賀以脫粟飯粗米去殼不舂以此為飯覆孚去声以布被覆蓋也賀曰何用故人富貴為言如此待客用富貴何為脫粟布被弘內廚五鼎五鼎牛羊豕魚麋外膳一殽詐也弘曰寧逢惡賓雖有惡賓非欺人不相知猶可詐也無逢故人故人舊日相知不敢詐也

褦襶子

褦音柰襶音帶暑月見人為褦襶子（程曉伏日詩）程曉

（又名覧夏月三伏日作此詩）平生三伏時道無行行車（音居）閑門避暑卧出入不相過今世褦襶子（褦襶涼笠也以竹為胎蒙以帛右）（涼傘簷戴此以避日也子指其人也褦襶子總言戴笠之人包）觸（充入声）熱到人家（觸抵也言其不曉事抵熱而至）主人聞客來。顰（音頻）蹙（音足）奈此何（顰蹙皺眉心中不悅也正當避暑何暇迎客）搖扇臂（音閉）中㾓（音勝。臂手臂膞也㾓痛也搖扇勞手以故㾓痛）流汗正滂沱傳戒諸高明（傳戒傳語謹戒高明稱呼衆人之辭也）熱行宜見呵（如此言之熱行所宜見否）

滑稽（骨音活稽音雞）〈史〉有滑稽傳（去声）〈楊子〉或問東方生曰其滑雞之雄乎（滑稽圜轉也轉快也師古云轉利之稱滑利也稽得也能快言語無留碍也一說稽考也言稽乱不可考較也一說変乱是非也）

詼諧不根（詼音魁）〈漢〉武帝時司馬相如以詞賦得幸（相如善作詞賦武帝寵之）東方朔放皋不根持論（去声。不根持論不能持正如樹大無根本浮浪無着實之言也）好（音號）詼諧（詼調戲也諧和合也訊議事情好為調戲而相和合也）上以俳（音俳）優畜之（上武帝也俳優今之散梁雜劇人也畜處置相待也武帝以其好戲似樂人故以此畜之）

鄉訕（音散）楊子曰賊仁近鄉原（去声。賊害也原亦謹厚之稱萬章問孟子曰一鄉皆稱原人焉孔子以為德之賊何哉孟子答曰此等之人同乎流俗合乎汙世居之似忠信行之似廉潔衆皆悅之自以為是而不可與入堯舜之道故曰得之賊也○乃倚譎曰非忠信而似忠

○賓館類

教走 朱子語錄 福州張嚳 音 字柔直蔡京賓致為塾
客之於其間為塾賓以訓子弟 柔直以師道自居
尊重居師之位動 待諸生嚴厲 訓教諸生加
止有法以率諸生 嚴切琢磨諸
生已不堪 雖不可當也。一日呼之來前 諸生皆至
前曰。汝曹魯學走乎。諸生曰其等嘗聞先生長
掌音 前之教但令 緩行嘗魯 柔直曰天下被汝翁
者之教也 平聲 射作為天下之事 又
作壞了 不能盡於此累於改舊制增置蔡塩又
秦天下州有祥瑞於生花結成稻米產造草造
一瑉瑤山子。雙頭道仙鶴雙頭芳與牡蠣草牛生

罵訾 漢灌夫行酒罵灌賢豎與不避席
坐不敬 肯順蚡劾劾推窮罪人也大罵夫坐不敬令夫怒不謝夫怒市罵
識耳語又不避席灌夫遂罵
灌夫行酒至灌道貢與程不避席罵田蚡 蚡音劾 夫罵
丞相娶燕王女為夫人。認崇室列侯皆徒賀酒酣
則當起身避席彼此有相敬之意。○此蓋田蚡為

不遜 呈上 左傳 聲去 鄭尉止及五族 鄭國名尉止氏司氏
為五 聲去 聚群不遜之人以為亂 尉止五族聚此等之
之人也

則鄉造謗使人長其過實定仁為賊義之事。
則無可辜其過實定仁令義之賊也。
信非廉而似以廉潔以非以廉潔
賊義近鄉訕言也所至
人以為乱

麒麟類此誑君異論不可枚舉。由是徽宗酷好祥瑞不問墳墓之間盡皆發掘石巨者高廣數丈載以巨船用千夫鑿河斷橋毀堰拆閘數月方至京師花石般運之費不可勝計又改鹽法自是鹽商大困非晚賊發首先到汝家非晚不久也。蔡京總領三省事時盜賊日熾內外寇覆桒直言不久賊發先到汝家。緣汝翁更法禍亂天下也汝曹若學得走緩急可以逃死諸子大驚走告京曰。先生忽心恙羊平声如此恙也憂京聞之瞿音句然瞿疾視而驚也曰此非汝所知也。即入書院因訪策爲京荒忙入齋訪問桒直求為設計以何策而免賊之患也桒直曰今日救時已是遲了。只有收拾人才是第一義義宜也言賊發但得有才能之人可以息之京因扣其所知

扣控扣而問也京問嚮舊日所知首何人也遂以楊龜山爲對龜山名時字中立延平人程門高弟子。對嚮應對所知者龜山也龜山自是有召命龜山由是而被召

○道教類

三清玉清元始居之玉清清微天宮也元始天尊所居上清玉宸道君居之上清萬餘天宮也玉宸道君即靈寶天尊居萬餘天宮太清混元老君居之太清大赤天宮也。混元老君即道德天尊居大赤天宮○故曰三清

老君老子即是老聃音貪李耳已上數名皆是大上老君著上下五千餘言著作也。言字也一作其經五千餘字為道家之宗宗主也為道家之主。

故謂之道德經以其年老著讀故號其書曰老子句亳音渟州南宮九龍井南宮亳州縣名井前有昇仙檜及老君煉丹井句井北虛無堂石壁鐫子泉切道德經鐫鑽斵以刻字也煉丹井。北邊有虛無堂堂中有石壁石壁上鐫有道德經○出高士傳釋註斵音作雕也

道士 大霄琅書經人行大道號曰道士。士者何讀理也。事也。身心順理。惟道是從從道為事。凡事依道理而行故稱道士。但能順理即稱有道之士

羽客 稱道士曰羽客。羽士廬山記唐保大中保太南唐年號道士譚談上声紫霄賜號金門羽客紫霄有道者南唐主寵之出入金門。故賜其名號為金門羽客

黃冠 稱道士曰黃冠唐李淳風父播仕隋棄官為道士。號黃冠子

紫衣 稱呼道士紫衣唐代宗時李泌音弼乞為道士代宗德宗父也李泌字長源賜紫衣自李泌始德宗時李泌為相

步虛聲 異苑陳思王遊山讀忽聞空裏誦經聲清遠遒此由切亮遒盡也亮明也聞誦經之声清遠盡於明亮也解鞋上声音者則而寫之為神仙聲解曉也則法也曉其音声者以為法則而寫之學之為神仙声道士效之作步虛聲也步虛声行步虛空中誦經之聲也

道士號太虛翁也 [illegible]
同道之兄 [illegible]
道 [illegible] 亮 [illegible]
太虛翁 異號陳思王遊山 [illegible] 閏空裏 [illegible]
[illegible] 李賜羽衣自李 [illegible]
羽衣 稱乎道士羽衣唐代宗時李 [illegible] 道士
士號黃冠于
黃冠 稱道士曰黃冠唐李淳風父播仕隋棄官為道
號金為門。金紋門觀其名 [illegible]
書言故事

道士謂 [illegible] 曰羽客 [illegible]
羽客 稱道士曰羽客唐盧山記唐僖宗大中
故稱道士。 [illegible]
也事也身之順理惟道是從 [illegible] 事。 [illegible]
道士 大霄琅書經入行大道號曰道士。士者何理
[illegible] 道 [illegible] 經 [illegible]
井 [illegible] 仙 [illegible]
用 [illegible] 井 [illegible]
道 [illegible] 其書 [illegible]

披戴 初為道士披氅（音相）衣戴星冠曰披戴（氅鷟鳥毛道士葺為衣而披之星冠冠上有星也）賀之曰榮加簪服（賀其加簪而戴冠着道服而為有道之士也）

羽化 道士亡曰羽化仙化（羽化仙化讚其生羽翼飛昇為仙也）【東坡前赤壁賦】飄飄乎如遺世獨立（東坡遊於赤壁作此賦言其乘小舟於萬頃波中如馮虛空御風不知所止則飄然氣象之逸似脫塵俗而獨立於世表）羽化而登仙（若生羽翼而化以登仙境）

玄壇 稱道觀（去声下同）曰玄壇【事物紀原】周穆王尚神仙召尹軌（音舉）杜仲居中南山真人草樓（終南山有尹真人草樓故

召二人居之）因號樓觀（因此遂號草樓為觀蓋嘉美其名也）隋煬帝改為玄壇後復曰觀

真宇 稱道觀（去声）曰真宇【白氏六帖】云列真之宇（真神仙也言建列神仙之宇舍所謂道觀）

黃冠師 稱道士曰黃冠師寄跡老子【韓昌黎送張道士序】（昌黎即韓愈）張道士嵩高之有道者通古今學有文武長才寄跡老子法中（句）為道士以養（羊去声）其親聞朝（音潮）廷將治東方諸侯之貢賦不如法者三獻書不報（三次上書言其貢賦不如法朝廷不發其書以行其奏也）長揖而去

士大夫多贈以詩而囑愈為序詩曰張侯髙髙來面有熊豹姿開口論（去声）利害劍鋒白差差（音雌○鋒劒口也言其論事若劍鋒之差差然而快利也）恨無三尺箠（追上声○箠鞭策也）為（去声）國答羌夷（笞打也羌夷指東方諸侯也言但恨無三尺之鞭策以笞擊貢賦不如法之罪也）詣闕三上（音賞）書臣非黄冠師（言其暫時寄跡於道門而非道士實有意忠於國也）